KB207382

임영웅을 말하다

—

조갑문 시인

시인의 말

임영웅
그의 노래가 좋아서
팬이 되었습니다.

세월과 물은 마디가 없다고
들었는데 그의 노래야 말로
마디 없이 흘러가는
물결처럼 들립니다.

이런 마음을 표현하다 보니 시가 되었고
그것을 한 편 한 편 모으다 보니
또 한 권의 책이 되었습니다.

이미 유튜브 채널을 통해서 많은 분들과
소통 하고 있지만 이번 두 번째 시집을 통해서
미처 소개 못한 시들도 소개 했습니다.

임영웅님과
그의 팬으로 함께 가고 있는 모든 분들과
이 책을 공유하고 싶습니다.

대단히 감사합니다.

2024년 12월에

시인 조갑문

차례

시인의 말

제1부 **임영웅을 말하다**

2부 약속을 노래한다

3부 임영웅과 함께

4부 100억 달성을 축하하며

제1부

임영웅을 말하다

무색의 가슴을 물들인다

바람결 인 듯
물결 인 듯
잔잔하게 흐르는
그의 노랫소리

물감처럼
번지며 스며들어와
무색의 가슴을
분홍으로 칠해놓는다

감미로운
그의 노래는
시린 마음을
감싸 안아주고

세월이
야속해
먼 산 볼 땐
다가와 벗이 되어준다

임영웅
그의 노래는
눈 내리는 겨울엔
포근한 목화솜 같고

봄날엔
뒷동산에 핀
진달래꽃 같고

푸르른
여름날엔
맑고 시원한 샘물 같고

가을엔
파란 하늘같아
답답한 가슴은
속속들이 시원케 해준다

임영웅의 날개

언제
어디서
어떤 노래를 듣던
감미로움을 주는
그의 노래 실력은

그를 더 높이
그리고 더 멀리
날수 있게 해주는
한쪽의 날개이고

따뜻한 모습
선한 인성
지키는 약속
절제로 빚어내는
무게감 있는 삶은

그의
힘찬 도약을
뒷받침 해주는

또 한쪽의 날개다

임영웅
그는 지금
이 든든한 두 날개로

더 높이
더 넓은 곳을 향해
날갯짓을 하고 있다

꾸준히
맘껏
꿈꿔온 만큼
이뤄낼 것이다

14

그로 인한 행복이

그 날
상암 벌의
환희와 감동을
어찌 잊을 수가 있을까

그 날
그곳에서
하얗게 태웠던
임영웅의 열정

그 날
입을 모아 하나같이
외치며 부르던
감동의 시간들

그 날
있었던 모든 것
고이 담아서
화면에 옮겨 놓았다

그 열정
그 감동이
식지도
작아지지도 않았다

또 한 번
그는 열창하고
우리는 따라 부른다

임영웅
그로 인한 행복이
한 겹 더 두꺼워졌다

늦복이 터졌다

나이
적지 않은 즈음
이만한 설렘을
안고 산다는 것

덩어리 행운이
굴러오지 않고서야
생길 수 있는
일이겠는가

산 세월이
적지 않은 즈음
이토록 간절한 마음으로
누구의 소식을 이만큼

귀를 쫑긋하고
기다리며 산다는 것 또한
늦복이 터지지 않고서야
있을 수 있는 일이겠는가

오늘
지금도
여전히
두근거리는 설렘

무작정
막연함이 아닌
약속이 있는
행복한 기다림

임영웅
그가
다발로 묶어
안겨준 선물이다

임영웅을 말하다

억지 보다
모습 그대로
거스르기보다
물 흐름 같이

꾸미기보다
정성을 담고
덧칠하기보다
가진 색 그대로

섞기보다
있는 그대로
나대기보다
조용한 미소로

말장난 보다
진실함으로
허풍 보다
공손함으로

임영웅 그한테
마음이 끌리고
그의 노래에
마음이 가는 이유는
이런 순수함 때문이다

낭만의 열차에 올라

끈적끈적한
여름을 지나
가을 곁에 서니
뽀송뽀송 해서 좋다

그렇구나
그래서
그의 노래를
듣고 있노라면

마음 구석구석까지
뽀송뽀송 해지는
느낌이 드는구나

임영웅
그가 노래하면
가을에만 느낄 수 있는
묘한 편안함

그리고

몇 십 년은 되돌려
그 시절의
풋풋함 까지
느끼게 해준다

임영웅
그의 노래를
이 가을에 듣자니
나이는 잊은 채

그가 태워준
낭만의 열차에 올라
황금물결 일렁이는
행복의 들판을
달리고 있는 것만 같다

꾸밈없는 순수함

가수로
큰 사랑을 받고
좋은 인성으로
고개를 끄덕이게 만들고

주변을 보살피는
따뜻한 동행으로
선한 영향력을 끼치고

절제 된 자기 관리로
안팎에서 좋은 젊은이라는
칭찬이 자자한 터라

임영웅
건강한 모습
꾸밈없는 순수함
발재간 까지 뛰어나

손색없는 축구 선수로
땀 흘리며 뛰는 모습

보기에 참 좋다

그에 대한 소식

어떤 것은
스쳐 가는
바람 결 소리 같이
귓바퀴를 돌아 지나가고

어떤 것은
지나는 행인의
발자국 소리 같이
머물지 않고 지나가지만

임영웅
그에 대한 소식이면
몇 마디일지라도
며칠씩 마음에 남아
떠날 줄을 모른다

숨결인 듯 꿈결인 듯

숨결 인 듯
꿈결 인 듯
불러주는 노래가
포근하기만 하고

언 손 감싸
품에 안아주는
어머니 손길처럼
따뜻하기만 하네

임영웅
그의 노래를
듣고 있노라면

26

신식으로 바꿔줬다

느지막하게
그를 만난 게
적잖은 행운이고

기성곡이 아닌
이 가슴에 맞춰준
그 이상의 곡들을 듣는다

안개 같던
마음속 그림자
말끔히 걷어줬고

몸에 밴
구식 생각은
신식으로 바꿔줬다

임영웅
그 대단한 가수가
나의 친구가 됐다

제2부

역시 임영웅이야

따스해서 모이고

양지쪽
햇살 인 듯
따스하기
그지없으니

너도나도
따스해서 모이고
각자가 아닌
함께 하면서
온기를 나누게 만드네

임영웅
그의
노래가

임영웅과 어머니

나이깨나 먹은 아들이
하늘을 보며 또
눈물 짓을 합니다

슬픈 일은 없는데
어머니가 보고 싶어서
그 음성이 듣고 싶어서
이런답니다

어머니
그리움도 뭉치니
멍울이 되나봅니다
그게 터지니 이렇게
주체를 못하고 있답니다

지난번엔
어머니가 떠나시던 날
마지막 모습이
생각나 그랬고

오늘은
임영웅
가수가 부르는
노래를 듣다가 이런답니다

노랫말에 나오는
별빛 같은 나의 사랑은
영락없는 어머니 같아서
이러고 있답니다

죄송하게도
곁에 계실 땐
이처럼 소중하고
별빛 같으신 줄을
절감하지 못하다가

비어버린
어머니의 자리를
느끼고서야
깨닫고 지내 왔는데

이 노래를 듣고 부터는

때늦은 감사의 마음이
부쩍 늘어났답니다

하늘만큼이나
넉넉하신 그 품으로
떠나시던 날까지 못난 이 아들을
품어주신 어머니

어릴 적
여름 밤 밀짚 방석에 누워
손가락으로 가리키며
일러주신 국자 모양의
그 북두칠성은

지금도 여전히
그 자리에서
빛나고 있는 것을 보면서

어머니는
영원히 빛 날
제 가슴의 별이심을
눈물 짓으로 노래합니다

그가 나서기만 하면

자기 노래든
남의 노래든
부르기만 하면
크나큰 인기를 얻고

상품 광고 역시
그가 나서기만 하면
브랜드평판
수위에 오른다

임영웅
그는 지금
한국 대중음악 역사에
굵고 선명한 획을
한창 긋고 있는 중이다

이렇게 명예스런

100억이니
사상 처음이니
1위니
이렇게 명예스런
붙임의 말을

어떤 연예인이
이리도
예사로이
보통으로
들을 수 있겠는가

임영웅
그는 지금
이런 말의
주인공으로
우뚝 서있다

인생의 생채기들

엄마의
숨결 인 듯
외로운 가슴
감싸 안아줌이
어찌 이보다
포근한 것 있을까

긴 세월 지나도
아물지 않는
인생의 생채기들
언제 있었냐는 듯
아물게 해주었네

임영웅
그의
노래가

약속을 노래한다

함께하며
곁에 있겠다는
따뜻함을 담아
노래를 부른다

그냥
부른 노래가 아니라
그 노랫말대로
하겠다는 약속 이다

임영웅
그는 지금
그렇게 한 약속들을
하나하나 삶으로
실천해 가고 있다

추억의 뭉게구름

넓디넓은
가을 하늘 인 듯
품어 안지 못할 것
무엇이 있을까

찌든 삶에
좁아진 가슴
넓혀주고
추억의 뭉게구름
다시 뜨게 해주었네

임영웅
그의
노래가

연분홍색 다시 칠해주었네

솜씨 좋은
화가 인 듯
신기한 그림까지
그릴 줄 알아

이 가슴
바래버린
연분홍색
다시 칠해 주었네

임영웅
그의
노래가

새움을 틔워줬네

흐르는
냇물 인 듯
막힘없이
흘러들어와

이 가슴
시들해진
낭만의 가지에
새움을 틔워줬네

임영웅
그의
노래가

두 어깨 펴게 해주었네

기다리던
봄기운 인 듯
품속까지
깊숙이
스며들어와

냉기 도는
세상살이에
잔뜩 움츠린
두 어깨
쫙 펴게 해줬네

임영웅
그의
온기 도는 노래가

제3부

임영웅과 함께

임영웅 소식

소리도 없고
모양도 없고
색깔도 없이
슬며시 다가온 가을

올 줄을
뻔히 알면서도
왜 그렇게도
기다려지는지 원

해마다
거른 적 없이
찾아와서
대하는 가을 이지만

대할 때 마다
새롭기 그지없고
배낭 하나 메고 바라던
여행을 하는 기분이 든다

그래서
모두가 까치발 떠서
목을 쭉 빼고
이 가을을 기다리나 보다

이 좋은 가을에
하나 더
그저 좋은 기분으로
매일 매일 귀 쫑긋 하고
임영웅 소식을 기다린다

임영웅과 함께

가을바람
그저 감미롭고
나부끼는 강변 갈대
춤사위가 곱구나

서천 강물
낭만이 흐르고
미역 질하는 오리 떼
있는 재주 다 부리는구나

가을 속을 걷자니
부러울 게 없어졌고
벤치에 앉아 있자니
그저 복에 겹구나

좋다는 게
행복하다는 게
이런 것 말고
무엇이 더 있겠나

가을이라
그러하고
임영웅과 함께하니
더더욱 그러하다

임영웅의 순수함

억지로 보다는
있는 그대로가 좋고
거스르기 보다는
순리가 좋지 않은가

과한 꾸밈 보다는
정성 담긴 것이 좋고
덧칠한 색 보다는
연한 색이 좋지 않은가

일부러 섞은 것 보다는
모자라도 그대로가 좋고
알면서 능청떠는 것 보다는
모르는 것이 좋지 않은가

슬쩍슬쩍 넘어가는
말쟁이 보다는
어둔해하게 들려도
거짓 없는 말투가 좋지 않은가

임영웅
그한테 마음이 가고
그의 노래에
마음이 끌리는 이유는
이런 순수함이
그한테 있기 때문이다

임영웅이 곁에 다가와

꽃이라는 이름으로
봄날에 찾아와서
산도 좋다 들도 좋다
여기저기 꽃밭을 만들고

푸름이란 색으로
여름날에 찾아와서
동서남북 여기저기
우거진 숲 만들었다

열매란 이름으로
가을날에 찾아와서
들녘 과수원 여기저기
풍요롭게 만들었고

임영웅 그가
어느 하얀 겨울 날
어느 60대 노부부 이야기로
곁에 다가와

부드럽고 다정한
그만의 감성 음률로
허한 가슴들 따뜻함으로
옹골지게 채워주고 있다

임영웅을 처음 만난 날

차가운
어느 겨울 밤
따스한 손에 잡히듯
그를 만났다

노래가 끝날 때까지
그가 노래하는 모습을
숨죽이고 바라봤다

그 여운이
방안을 채웠고
마음까지 가득 채웠다

어느 60대 노부부 이야기
처음 접한 문구들이 아닌데
그날 밤은 그렇게 들렸다

그가 부르며
구사한 소절들은
가슴 구석구석 까지

차곡차곡 밀고 들어왔다

임영웅
그를 처음 만난
그날의 감동
때론 여울처럼
때론 파도처럼 여전하다

임영웅이란 존재

일부러 만들고
보이려고 꾸미는 일이라면
한계라는 바닥이
쉽게 들어나고 말 것이다

그와는 반대라면 어떨까
솟아나는 샘물 같지 않을까
퍼내고 퍼내도
여전한 것처럼 말이다

임영웅
시간이 더해 갈수록
역할적인 면에서의 그의 활동은
영역의 땅들을 무한대로
넓혀가고 있는 중이다

한 사람 가수의 활동이
이렇게도 많은 사람들 속에 들어가
이만큼 의 좋은 영향을
끼치고 있는 현실이

놀랍기 그지없는 일이다

임영웅
그에 대한 관심은
한 명의 연예인을 향한
팬덤(fandom) 현상을 넘어서
그 이상으로 가고 있다

스트리밍 100억
한국인 최애 가수 등
수치적으로 나타난
객관적 현상들이 이를
증명해 주고 있지 않은가

썩 잘 하는 노래로
즐거움과 기쁨을 주는
감각적인 효과와 함께

친한 이웃 같은
진심어린 활동으로
위로 치유 회복과 같은
내면적 효과가 실질적인

현상으로 번지고 있다

한국 음악계는
임영웅과 같은 사람을
더 많이 배출하기 위해서도
그의 활동에 대한 면밀한 연구가
있어야만 할 것 같다

임영웅
그의 오늘이 있음은
이유 있는 어제 때문이고
그의 내일은
이유 있는 오늘이
뒷받침 해 줄 것이다

임영웅 스케치

그의 노래엔
목화솜 같은
포근함이 있고

그의 눈망울엔
때 묻지 않은
선함이 들어있다

그의 눈가엔
꾸미지 않은
진실이 묻어 있고

그의 입가엔
맑은 물 같은
미소가 흐른다

그의 생활엔
스스럼없는
동행자들이 많고

그의 언어 속엔
허세는 없고
공손함이 있다

그의 오늘엔
더 높은 도약을 위한
애씀으로 차 있고

임영웅
그의 내일엔
세계무대에 우뚝 선
꿈의 실현이 있다

임영웅의 삼시세끼

빨강일까
노랑일까
아니면 분홍색 일까

꽃씨를 심어놓고
피어오를 꽃의 모습이 궁금해서
아침이면 꽃밭을
서성이는 아이의 마음으로

방송에서 선보일
임영웅의 삼시세끼를
궁금증 부푼 마음으로
기다리는 즐거움이 생겼다

예능 프로의 선구자격인
나영석 피디
익을 대로 농익은 연기자
차승원과 유해진

거기에

한국 최고의 가수
임영웅이 가세했다
어느 면에서 보아도
최고의 조합이 아닐 수 없다

이 호화 멤버들이
이 프로그램을 어떻게 풀어낼지
임영웅은 선배들과 함께하며
어떤 모습으로 활약을 할지

시청자는 물론이거니와
이를 지켜보는 각 매체들도
더 없는 기대와 호기심으로
기사를 쏟아내고 있다

임영웅 그는
노래 못지않게 타고난 재능이
적지 않은 재주꾼이 아닌가
기왕 출연하는 김에
최고의 시청률까지
이끌어 냈으면 한다

삼시세끼 라는 말
앞선 세대들한테는
그 세끼를 못 채워서
바가지 물로 허기진 배를 채워야 했던
한이 서린 추억의 용어이다

임영웅
그의 노래가 그러하듯
이 프로그램을 통해서도
못 먹어서 허기진 배가 아닌

정(情)에 허기져 있는
많은 이들의 배를 채워주는
따스한 역할을 잘
해줄 것으로 믿어 의심치 않는다

임영웅의 팬이기에

처음엔 잘 부르는
그의 노래가 좋아 팬이 됐지만
점점 시간이 가면서
그의 따뜻한
마음 씀씀이

큰 가수가 되어 가면서도
전혀 티내려 하지 않고
예나 지금이나 별로
다름이 없는
공손함

큰 인기를 등에 업고
혼자만 달려가는 게 아니라
곁에서 응원하는 이들
그리고 어려운 이웃들과
함께 가고자 하는
보살핌과 동행의 의지

꾸준히 노력 하면서

서두르지 않고 천천히
하나씩 하나씩
역작을 만들어 내는
전문가다운 저력

집중 조명을 받는
위치에 있으면서도
맑은 삶을 살아내는
특유의 힘까지 갖고 있는 그를 보며
마음 깊숙이 변치 않을
팬심의 뿌리를 내렸다

예로부터
큰 나무 일수록
바람도 많이 맞는다고
하지 않았던가

봄바람이나
솔바람 같은
훈풍을 두고 한 말이 아니라
비바람과 매서운 삭풍도
맞을 수 있다는 교훈일 것이다

임영웅 그는
하루아침에 웃자란
껑다리 나무가 아니다
치열한 경쟁을 하며
커온 단단한 나무이고

어떤 강풍에도
흔들리지 않고
자기의 자리를 지키며
스스로를 더욱 단단하게 할 수 있는
지혜도 갖고 있는 젊은이다

그의 팬이기에
좋아만 하고 있지 않을 것이다
그가 어떤 바람을 맞는다면
더 바짝 가까이 다가서서
응원하며 함께 할 것이다

2024년 7월
요즘 같은 경우
당연히 그러하다

62

임영웅님께 쓰는 7월의 편지

막 시작해서 그런지
왠지 매미의 노래 소리가
서툴게만 느껴지는
7월의 초입이 되었네요

5월의 상암 콘서트
그 큰 공연을 마친 끝이라
6월 한 달은 쉼의 시간이
꼭 필요 했을 것 같은데
건강은 어떠한지요

요즘
온기 노래에 대한 반응들은
하나 같이 가슴을 따뜻하게
데워주는 느낌이 들어서
좋다며 예서제서 부르고
들려오는 소리가 대단하답니다

임영웅님
싱거운 소리 같습니다만

만 원짜리 한 장을 헐면
쓸 게 없다고들 하는데
세월은 그보다 더 한 것 같네요

2024년을 헐어 놓은 게
그야말로 엊그제 같은데
별로 쓰거나 한 일이
없는 것 같은데
훌쩍 반이 가버리고 말았네요

그런 가운데도
임영웅님과 함께 하는
시간들이 있기에
얼마나 큰 보람인지 모릅니다

친구들 세 네 명이 모이면
의례히 임영웅님에 대한
이야기를 주고받으며
보내는 시간들 하며

무료하다 싶으면
서투나 따나

피아노 앞에 앉아서
영웅님의 노래를
몇 곡 연주하다 보면

어느새 행복의 주머니가
차오르는 느낌이 들고
세월의 허무함 대신에
큰 보람을 느끼게 하는
시간이 되기도 한답니다

임영웅님
조금 앞서 살아보니
건강만큼 힘이 되는 것은
없는 것 같습니다
장마와 함께 시작 된 무더운 여름
건강 잘 챙기며 보내십시오

임영웅의 선한 영향력

임영웅과 함께하는 이들의
선행이 파도타기처럼
예서제서 일어나고 있다

이들한테서
느껴지는 특이점은
좋은 일을 하면서도
티내려 하거나
알려지길 원하지 않고
조용하면서도 꾸준히
이어가고 있다는 사실이다

이 가슴 따뜻하게 하는
미담을 접할 때마다 느껴지는 것은
옛 말 그대로
그 가수에 그 팬답구나 이다

그렇다
임영웅의 선행은
어제 오늘의 일이 아니라

무명 시절부터 해온
일상 같은 일이라 하지 않는가

이런 그의 선한 영향력이
그를 좋아하며 함께하는
팬들에게 까지 스며들어
이와 같은 사회적 아름다움을
만들어 내고 있는 것 아니겠는가

임영웅 그는 이제
노래만 잘 하는 가수라 하기엔
표현이 부족 할 것 같다

각박해져만 가는 세상에
따스함을 쥐어줄 줄 알고
이웃과 함께하며 힘과 위로라는

선한 영향력 까지 끼치는
진정한 우리의 이웃이라고
해야 맞는 말이 될 것 같다

제4부
100억 달성을 축하하며

임영웅이 오른 자리

최초
최고
최애
요즘 임영웅을 따라 다니는
영광스런 단어들이다

임영웅
그가 드디어
한국인이 가장 좋아하는 가수
최고의 자리에 올랐다

그것도 지지율
10%를 넘어선
최초의 가수가 되었다
지금까지 어떤 가수도
넘어보지 못한 그 선을 넘어서
사랑 받는 가수의 자리에 올랐다

그 많은 가수들
그토록 열렬한 팬을 많이

두고 있는 가수들을 제치고
최애의 가수가 된 것이기에
매체들 마다 앞 다투어
이 사실을 다루고 있다

임영웅
그가 이만큼 사랑을 받고
이러한 자리까지 오른 데는
결코 우연이라 할 수 없는
이유들이 있을 것이다

가수로서의 뛰어난
달란트를 가진 것은 물론이고
그의 모나지 않은 인성
반듯한 예절
정갈한 생활

거기에 더해
쉼 없는 노력들이 쌓여서
만들어낸 결과이고
맺은 열매라고 할 수 있을 것이다

한 가지를 더한다면
변함없는 응원으로
지금까지 함께 해온
팬들의 사랑일 것이다

임영웅
그의 팬으로서 바람이 있다
이젠 이웃이 된 세계 속으로 들어가
그 안에서도 오늘과 같은
자리에 오르길 바라는 마음이다

100억 달성을 축하하며

100억 이라니
정말인가
진짜일까
거짓말은 아닌지

놀랍고
대단하고
엄청나고
상상을 초월 했구나

흔히 하는 말로
한 참 동안
귀를 의심하고
눈을 의심해야 했다

임영웅
그가 해낸 일을
사실로 받아들이기엔
그리 쉽지 않을 만큼
크고도 놀라운 사건이었다

입에서 입으로 전해지거나
좋은 소문 정도가 아니라
권위 있는 조사 기관의
공식 발표이기에 더더욱 그랬다

100억이란 숫자가
얼마나 많은 것인지를
세계인구에 비교해서 알아보니
현재 세계 인구 80억 보다
20억 이나 더 많은
어마어마한 숫자라는 것을 알았다

단순히 계산법으로 하자면
그렇게 많은 숫자의 사람들이
임영웅의 노래를 한 번 이상
눌러서 듣고 좋아서
저장도 했다는 이야기가 되는 것이다

이에 덧 붙여 조사 기관은
스트리밍 100억 달성은
남자 솔로 가수로는 최초라는
발표를 내놓기도 했다

임영웅
그의 이름 앞에 더 이상의
무슨 수식어가 필요하겠는가
그냥 우리 모두가 좋아 하는 가수
이렇게만 해도 충분 할 것 같다

이렇게 좋은 가수를
곁에 두고 있는 우리 모두
그리고 우리 음악계 전체가
다 같이 자부심을 가질 만 하다

임영웅님께 쓰는 다섯 번째 편지

음악엔
세대의 구분도
언어의 난해함도
국경의 어떤 선도
있을 수 없다고들 합니다만

임영웅님의 노래야 말로
보이지 않는 세대 간의 깊은 골까지
메워주는 고마운 힘을
발휘하고 있는 것 같습니다

사람이 사람을 좋아하고
가까이 하는 데는 여러
이유가 있겠지만 당신을 좋아함엔
당신의 노래는 귀엣 소리가 아니라
마음 깊은 곳까지 찾아오는
소리이기 때문인 것 같습니다

그래서 들으면 편안해지고
따스함이 느껴지고

상처에 약 발라주고
호호 불어 주는 어머니 숨결 같은
정감과 함께 약해진 마음엔 위로를 주는
힘까지 발휘를 하고 있는 것입니다

작년엔
모래 알갱이를 들으며
적지 않은 나이에
색 바랜 낭만에 분홍색을 다시
칠하길 시작 했고요

요즘은
온기를 따라 부르며
함께 라는 것의 소중함과
아름다움을 행복한 마음으로
배우고 있는 중입니다
이래저래 고맙습니다
이천 이십 사년 6월 중년의 팬 드림

임영웅님을 위한 6월의 기도

따스한 노래 소리로
서울 하늘을 물들였던
상암 공연이 감동을 안고
막을 내리게 해주셔서 감사합니다

혹여 큰 공연 후에
밀려올지도 모르는
까만 고요함으로부터
그를 지켜 주십시오

그의 몸과 마음
손톱만한 틈도
생기지 않게 해주시고
언제나 당당하고
건강하도록 돌보아 주십시오

창의성과 감성은
솟는 샘물 같게 하시어
모두와 함께하며
행복하게 부를 수 있는 노래들이

꾸준히 발표 되게 도와주십시오

만인이 주목하는
위치에 있자니
말과 처신 그 어느 것 하나도
허투루 할 수 없는
어려움 속에 있을 것 같습니다

그로 인한 부담감에
눌려 살지 않도록 힘을 주시고
그의 주변에 진심과 우정으로
함께할 이들을 많이 주십시오

연로하신 할머니
사랑 하는 어머니께
더 많은 효도와 공경을 드리고
즐거움이 가득한
그의 가정이 되게 해주십시오

임영웅
그야말로 앞날이 창창합니다
오늘보다 더 발전하는

내일을 위해 멈추지 않는
걸음이 되게 하시고

그의 곁엔 늘
좋아하고 아껴주는
팬들이 있음을 기억하며
즐거움도 아픔도 끝까지
그들과 함께 하게 하소서

임영웅의 길

임영웅
처음부터 각광을 받는
가수가 아니었고
노력을 멈추지 않았지만
무명 가수 중 한 명일뿐 이었다

모두가 인정 하듯이
그는 천부 적 소질을 가진
정말 보기 드문 음악가이기에
기회는 그를 외면하지 않았다

임영웅
그동안 알려진 것만으로도
심성은 부드럽고
관심은 배려하는 것에
있음을 충분히 알 수가 있고

그렇게 길지 않은 기간에
믿기지 않을 만큼의
큰 업적들을 만들어 낸

가수이기도 한 것이다

임영웅
단순히 노래만 잘 하는
가수가 아니라 대중한테서
받는 사랑을 정갈한 삶과
진심이 담긴 몸짓으로
되돌려 줄줄도 안다

그의 대표곡이라 할 수 있는
별빛 같은 나의 사랑아
모래 알갱이
온기 같은 노래의 주제는

존경이고 함께 이고
따뜻함이 아닌가
이런 노래를 부르는데
어찌 좋아하지 않을 수가 있겠는가

그의 노래는
웅덩이 물이 아니라
솟아나는 샘물 같다는

느낌이 드는 것은
끊임없이 결과물들을
만들어 내고 있기 때문인 것이다

임영웅
시작은 가시밭길
구불구불 한 길 이었지만
잘 참고 헤치며 걸어 왔기에
곧고 널 직한 지금의 길을
만난 것으로 본다

그를 좋아하고 아끼는 많은 사람들
그가 존경하며
귀히 여기는 그 많은 사람들과
손을 마주 잡고 함께
행복 이라고 쓰인 이 길을
뚜벅뚜벅 잘 걸어 갈 것이다

임영웅이야 역시

나이
먹을 만큼 먹고
세상살이
할 만큼 하고
이러 저러한 일들
겪을 만큼 겪었으니

이쯤 되면
이 꼴 저 꼴
이런저런 소리 뵈고 들려도
그러려니 하면서
넘어갈 수도 있으련만

이내 속은
옹색하기 그지없어
걸핏하면
토라지고 삐지고
뾰로통하기가 일수라

이내 속 좀 고쳐보려

의원이나 약방을 찾는 중에
그것 참
신통방통한 일이 일어났네

약 봉지 털어
입에 넣거나
주사에 침 한 번
맞은 적 없고

그저 단지
임영웅의 노래를 만나
한 날 한 날 듣고 있을 뿐인데
옹색하던 이내 속에

손바닥 만 한 여유가 생겨
그래도 그렇지 하는
뾰족한 말투와 눈초리는
꽤나 많이 줄어든 것 같고

이제 제법 곧잘
별 이상한 것들이 뵈고 들려도
그러려니 하는

너그러운 생각까지 하게 되는 걸 보면

왜들 그렇게
임영웅의 노래를 들으며
그를 연호하고 열광 하는지
그 이유를 충분히 알겠고

이 입으로
역시나 임영웅이야
그의 노래 속엔
뵈지 않는 속병 까지 고치는
특별한 힘이 있다는 걸
말 하지 않을 수가 없네

임영웅의 상암 공연을 마치고

상암 하늘엔
별 빛이 빛났고
그 아래 드넓은 벌엔
이슬 같은 그의 노래가
숱한 가슴들을 적셨다

얼마나 기다리던 시간 이었나
얼마나 보고 싶던 그의 모습이었나
꿈이라도 꾸는 것은 아닌지
두 번 세 번 꼬집어 볼 만큼
설렘과 행복으로 가슴을 채운
인생의 한 순간이었다

그 시간 우린 각자가 아니고
따로도 아니라 진정 함께하며
같이 걷고 있다는 것을
부르는 노래와 벅찬 환호로
도장을 새겨 지워지지 않게
가슴속에 찍었다

임영웅의
열창하는 그 모습
친구 인 듯 이웃 인 듯
거리감도 스스럼도 없는 그의 말에

수 십 년을 두고 쌓여온
가슴 속 돌덩이 같은 응어리들이
녹았는지 삭았는지 후련하다는 말이
예서제서 큰 소리로 들린다

2024년 5월 상암 콘서트
그야말로 그 만이
그의 노래만이 할 수 있는
크고 따뜻한 위로의 장 이었고

덧나고 생채기 난 마음을
치유 하는 포근한 시간이었던 동시에
낭만과 생의 기쁨을 되살리는
회복의 시간 이었다

임영웅
그를 좋아하고 사랑 할 이유가

몇 가지는 더 많아졌다

간절한 마음으로 기도한다
부디 몸의 건강과 함께
강하고 정갈한 지금의 마음을
잘 지키며 가게 해주십사 하고

임영웅의 노래 온기

추운 겨울이
지난 지 오래 이고
꽃피는 따스한 봄날 되어
벌 나비가 날지만
가슴엔 여전히 냉기가 돈다

배부르고 등 따시면 됐지 라는
옛말이 있는데
이미 벌써 그런 환경 속에
산지가 오래 됐어도
시절이 주는 느낌은
그저 차갑기만 하다

아마도 예서제서 들려오는
냉정한 소리들 때문일 것이고
눈만 뜨면 보이는
무정한 모습들에서
너나 할 것 없이 받는
느낌인 것 같다

차가움이 더해 가는 이 시절에
임영웅의 노래 온기가
듣는 이들 마음 깊은 곳에
봄바람 보다 더한 따스함을
불어 넣어주고 있다

어쩌면 이렇게도
시의적절(時宜適切)한
뜻이 담긴 노래로
가슴 마다 감동을 주는 것일까
그저 신기하기만 하다

임영웅 그는
이 노래를 통해
어두운 곳에
웅크려 앉은 이들에게

또한 힘들고
먼 길을 가고 있는 이들에게
아무리 긴 시간일지라도
떠오르는 태양을 만날 때 까지
곁에 있어 주겠다고 약속을 한다

그냥 노래로만 들리지 않는다
그의 진심과 그의 따뜻한 심성이
그대로 느껴지기에 듣는 내내
진한 감동으로 가슴이 먹먹해진다

온기를 들으며
데워진 마음에서
고맙다는 표현이
연이어 나온다

임영웅님께-3

둥그런 보름달의
그 정겨운 모습 바라보며
외로움과 아픔을 추스르고
다시 힘을 얻는 이들이
얼마나 많은지 모릅니다

밝은 보름달의
그 환한 빛 덕분에
돌부리 걸려 넘어지지 않고
험한 밤길 무사히 가고 있는
나그네들이 얼마나 많은지 모릅니다

보름달 아래서 생각해 봅니다
저 달을 바라보는 이들이야
별난 모습 다 보여도
가려지고 잊혀 지면서
괜찮은 듯 살아갑니다만

저 보름달은
가릴 수도

묻힐 수도 없이
언제나 밝아야 하고
흠도 티도 없어야겠다는
어려운 생각을 해 봅니다

임영웅님
이미 당신은
수많은 이들 마음속에
보름달 되어 자리하고 있습니다

그러기에
당신의 말 한 마디
몸동작 하나 까지도
가려지지 않고 적나라하게
보일 수밖에 없습니다

허구한 날
당신의 노래들을 들으며
행복 합니다만
보름달 같은 당신의
역할이 얼마나 힘들까
하는 생각을 하면

그저 가슴이 먹먹하기만 합니다

임영웅님
있는 힘을 다해
당신을 응원할 겁니다
그리고 당신과 함께 할 겁니다
고맙습니다
2024년 5월 중순
중년의 팬이 드립니다

임영웅의 온기를 들으며-1

이른 아침
그가 부르는 온기와 첫 대면을 했다
초면 이지만 귀도 마음도 전혀
낯가림을 하지 않는다

부드럽고 포근하다
마음속 깊은 곳 까지
사람의 온기가 스며듦을 느낀다

사람이 사는 세상
사람과 같이 살아가는 세상에서
부둥켜안지 않아도 이런 따스함을
느끼며 살 수 있다면 얼마나 좋을까

참으로 다행이다
그의 노래를 들으며 이만큼의
온기를 느낄 수 있다는 사실이

점점 더해 가는 세상의 한기에
가슴 시려 하며 살아가는

나
너
그리고 우리에게

임영웅 그가
온기를 불어넣어 주려고
이 노래를 불러 준 것 같다
참 따뜻하다
고맙다

임영웅의 온기를 들으며 2

제목에서 아랫목의
따뜻함 같은 것이 느껴지고
처음 듣는 곡이지만
오랜 친구를 대하는 것 같기도 하다

이 노래를 듣고 있자니
임영웅 그가 어떤 이들에게
마음을 두고 있는지를
쉽게 알아진다

그는 이 노래로
어두운 곳에 웅크리고 있는 이들에게
변하지 않을 약속을 한다
떠오르는 태양을 만날 때까지
곁에서 함께 있겠다고

이 귀한 약속을
단 4분 동안 이어지는 노래 속에
자그마치 여섯 번이나 반복 하고 있다

손가락을 걸어 약속 하는 모습이
보이지 않을 뿐이지 그 이상의
진정성이 가슴 깊은 곳 까지 다다른다

세상살인데
누군들 마음 한편에 후미지고
어두운 곳이 없겠는가

겉으론 웃고 있지만
그 한편에 드리운 그늘 때문에
남모르는 외로움을 안고
어찌 힘들어 하지 않겠는가

임영웅
그는 뛰어난 가수이면서
너와 나 그리고 우리의
다정한 친구로 함께 있음을
이 노래로 증명해 주고 있다

그 친구가 말 해준다
지금은 어둠속에 있을지 모르지만
태양은 반드시 떠오를 것이니

참고 그 순간을 같이 기다리자고

부드럽고 감미롭기 그지없는
그만의 감성으로 들려주는 그의 노래가
어느새 냉기 도는 가슴을 데워줬다

소망이 생겼다
추운 겨울 날 아랫목의 따스함이
언 발을 녹여주듯
이 노래가 많은 가슴에
온기가 되었으면 하는 마음이다

임영웅의 상암 콘서트를 위한 기도

그를 좋아 하는 이들이 이렇게 많음은
노래를 잘 하기 때문이기도 하지만
그의 노래를 들으면
위로라는
치유라는
회복이라는
특별한 새 힘을 얻기 때문입니다

그의 이름 앞엔
감성 장인
기부 천사
국민 가수와 같은
수식어가 붙어 다닙니다

그런 수식어는
맞춤 옷 만큼이나
그에게 잘 맞고 어울리기에
오늘처럼 큰 사랑을 받는 가수로
우리들 속에 있는 것 같습니다

임영웅
우리를 위해서 노래하는
우리들이 사랑 하는 그가
2024년 5월 25일 26일 이틀 동안
상암 월드컵 경기장에서
단독 콘서트를 엽니다

월드컵 때는
대~한민국
그 외침과 함성으로
수놓았던 그 하늘에
이번 콘서트에선
만인의 가슴에 대고 부를
그의 감미로운 노래 소리로
수를 놓게 될 것 같습니다

이 콘서트를 위해 그는
많은 준비를 했을 겁니다
하지만 그도 사람이기에
부족함을 느끼는 게 있을 것이고
그래서 염려하고 있는 점도
있을 것 같습니다

그래서 기도를 드립니다
그의 부족한 면을 채워 주시어
되레 빛나는 부분이 되게 하시고
염려하고 있는 부분은
괜한 걱정을 했다는 생각이 들게 하소서

그의 성대를 돌보시어
한결 같은 음성으로
감동을 안겨주게 하시고
그의 온 몸을 돌보시어
마지막 곡을 마칠 때 까지
조금도 지치지 않게 하소서

그 이틀 동안 날씨는 맑고
함께 하는 우리 모두는
그의 노래를 들으며
지금 보다 더 큰 위로와 치유
그리고 회복을 얻으며
그와 함께 행복을 만끽하는
푸름의 5월 그 날이 되게 하소서

임영웅을 말하다

발 행 | 2024년 12월 9일
저 자 | 조갑문
펴낸이 | 한건희
펴낸곳 | 주식회사 부크크
출판사등록 | 2014.07.15.(제2014-16호)
주 소 | 서울 금천구 가산디지털1로 119, SK트윈타워 A동 305호
전 화 | 1670 - 8316
이메일 | info@bookk.co.kr

ISBN | 979-11-419-2048-7

www.bookk.co.kr